MINI PATTE

L'escargot

Paisible dormeur

Texte et photos de Paul Starosta
Illustrations de Delphine Vaufrey

Collection dirigée par Valérie Tracqui

Le réveil

Enfin un peu de chaleur et
de pluie ! C'est ce que demande
l'escargot pour se réveiller,
après son long sommeil d'hiver.
Il sort la tête de sa coquille,
pousse la terre qui l'entoure
et remonte jusqu'à la surface.
Il dévore une petite feuille
et se sent déjà fatigué. Alors,
il rentre dans sa coquille
et s'endort à nouveau.

De la chaleur et de la pluie : après l'hiver, l'escargot se réveille enfin.

Comme il n’a pas mangé pendant très longtemps, il a très faim.

Quel gourmand !

Le lendemain matin, le soleil réveille l'escargot. Il se met aussitôt à manger, puis il cherche un abri et se rendort. Les jours suivants, il mange à l'heure de la rosée et même toute la journée, s'il pleut. Avec ses petits yeux et ses 4 cornes, il repère ce qui est bon. Comme il mange beaucoup, il grossit, grossit...

Il a de petits yeux noirs, tout au bout des cornes.

L'escargot mange tout ce qui est frais : des feuilles, des écorces et même des champignons dangereux.

Avec sa langue garnie
de milliers de dents,
il râpe les feuilles,
comme du gruyère.

Le temps des amours

Mais un jour, l'escargot n'a plus faim. Il a envie de se marier. Il trouve alors un compagnon qui lui plaît et s'accouple avec lui. Quelque temps plus tard, il creuse un nid dans la terre humide et y pond ses œufs. Cela prend plusieurs heures et c'est très fatigant. Enfin, épuisé, il regagne son abri pour dormir. Ouf!

Chaque printemps, l'escargot peut s'accoupler avec 5 ou 6 compagnons différents.

Il n'y a ni mâles ni femelles chez les escargots. Ils sont les deux à la fois.

Les œufs sont comme des petits pois tout blancs.

Lentement, les œufs tombent dans le nid. L'escargot en pond une douzaine par heure.

Ils sont nés

Trois semaines plus tard, les petits escargots sortent de leurs œufs. Leur coquille est très fine et complètement transparente. Pour ne pas être brûlés par le soleil, ils doivent rester sous la terre tiède et mouillée. Puis un soir, comme leur coquille a jauni, ils sortent du sol. Ils vont pouvoir enfin savourer leur première feuille. Quel délice !

Les minuscules bébés escargots ne pensent qu'à manger pour grandir.

« Vivement que
je sois aussi gros
que ce grand-père
de 5 ans ! », se dit
le nouveau-né.

À la bonne taille

L'escargot mange beaucoup, car il lui faut sans cesse agrandir sa coquille. Il dépose d'abord de la bave sur le bord de l'ouverture. Puis il attend qu'elle sèche. Et voilà la coquille un tout petit peu plus grande. Ainsi, dès que le propriétaire grossit, il augmente la taille de sa maison. C'est pratique et plus facile que de déménager !

En même temps qu'il agrandit sa coquille, l'escargot prend bien soin de la colorer, comme ceux de son espèce.

Au secours !

Comme il fait de plus en plus chaud, l'escargot sort très tôt le matin et à la tombée de la nuit. Le jour, il dort et digère ses repas. Malheureusement, ce sont les mêmes horaires qu'ont choisis le hérisson, le blaireau, le hibou et le carabe… qui adorent les escargots en dessert.

Mais l'escargot fait des bulles pour ne pas être mangé.

Avec ses dents pointues, le hérisson croque facilement les escargots.

Le carabe n'arrive pas à percer la coquille de l'escargot. Alors il s'attaque directement au corps de sa proie.

Le blaireau mange de tout : des fruits, des vers, des souris... et des escargots.

Pour se défendre, l'escargot fait des bulles. C'est plutôt bizarre !

Dormir au sec

Ç'est maintenant l'été. Tout est sec. L'escargot a peur de mourir de chaud. Heureusement, il lui suffit de se tremper dans l'eau pour boire à travers sa peau qu'il a très fine. Mais au soleil, il se dessèche, car l'eau de son corps s'évapore. Alors, il cherche de l'ombre, puis se fixe à un support et se cache dans sa coquille, en attendant de beaux jours de pluie.

Il peut attendre la pluie pendant 3 ans, caché dans un vieux mur bien frais.

Pour ne pas se dessécher, l'escargot s'accroche à une pierre par un anneau de bave durcie.

Un chemin de bave

Heureusement, cette nuit, il a plu! L'escargot part à la recherche de feuilles tendres. Seulement, la peau de son pied est très fragile. Pour ne pas se blesser sur les épines et les pointes, il se fabrique une route en bave. Pas de problème! Le voilà qui glisse à toute allure vers les salades…

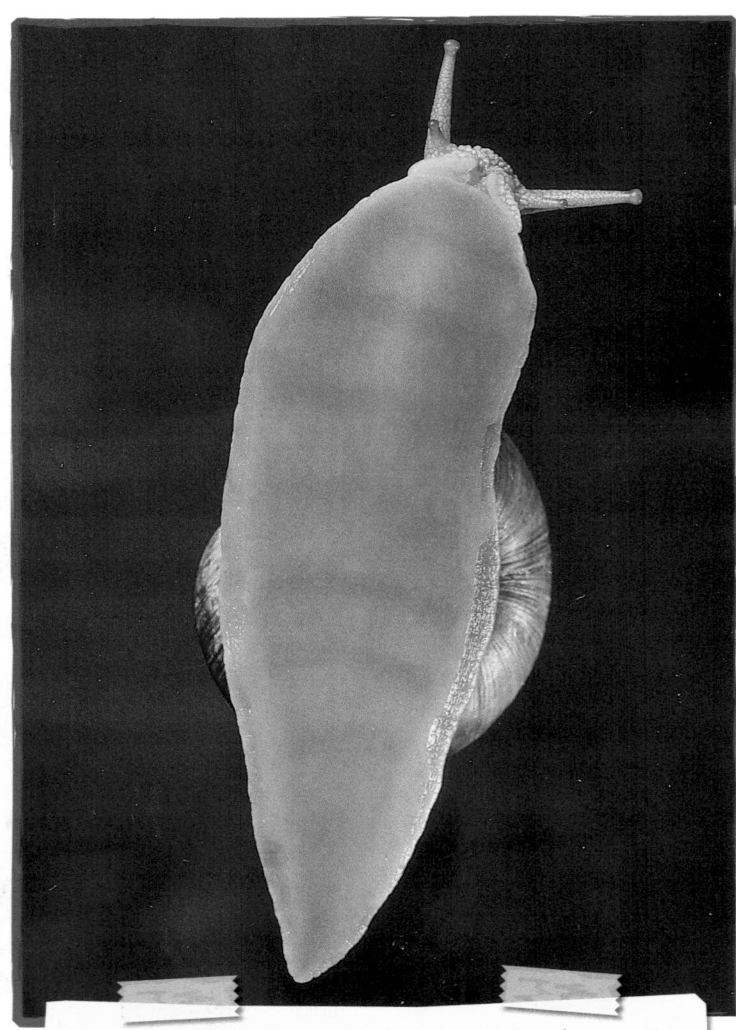

Pour marcher, l'escargot avance la tête et tire le reste du corps, petit à petit, vers l'avant.

Il ne respire pas par la bouche, mais par un trou, qui conduit l'air à son poumon.

Grâce à sa bave collante, l'escargot peut faire de l'escalade, et même se déplacer la tête en bas, sans jamais tomber.

De drôles d'yeux !

L'escargot a une peau si fragile, qu'il doit se protéger la tête. Comme il n'a que 2 minuscules yeux, il se sert de ses cornes pour savoir où il va. Avec les plus petites, il touche et sent les odeurs du sol. Avec les plus grandes, il palpe tout ce qui se trouve en hauteur. Une simple goutte de pluie… et il rentre ses cornes.

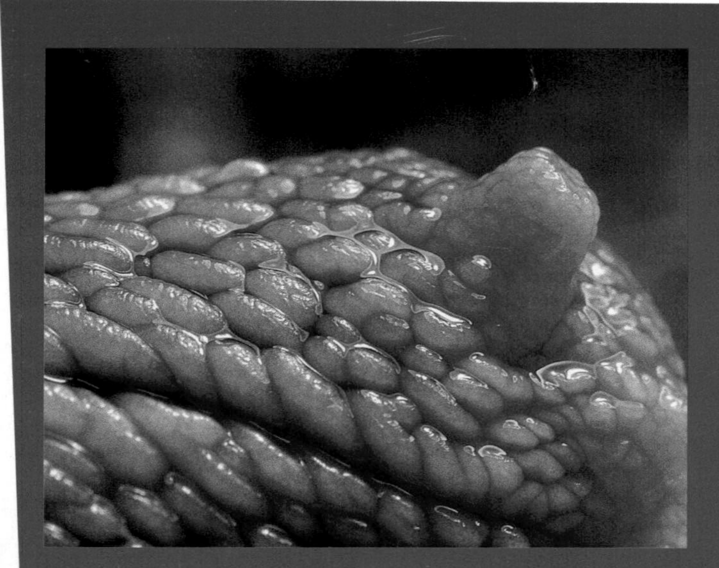

Les cornes sont creuses et rentrent dans la tête.

Leur peau est encore plus fine que celle du corps.

La température du corps de l'escargot change avec le temps : il a de la fièvre s'il fait trop chaud et il s'engourdit s'il fait froid.

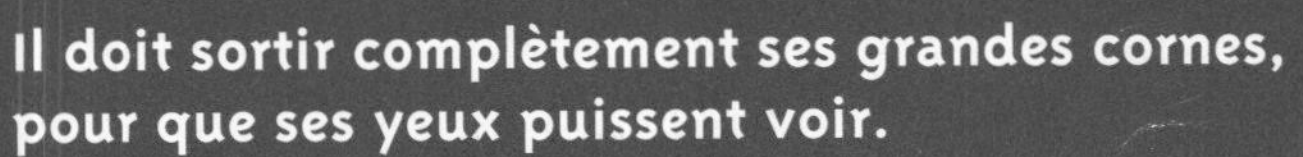

Il doit sortir complètement ses grandes cornes, pour que ses yeux puissent voir.

Quand la cachette est bonne et assez grande, les escargots dorment à plusieurs pendant tout l'hiver.

Envie de dormir

Quand l'automne arrive, il fait trop frais. L'escargot ne sort que les doux jours de pluie. Il se sent fatigué. Tout gros et ayant bien bu, il sait qu'il doit dormir. Alors, il creuse un trou, il y descend et le referme. Puis, avec de la bave qui durcit, il bouche sa coquille. Et il s'endort, bien à l'abri, jusqu'au printemps suivant.

Pas facile de survivre

Le pauvre escargot n'a pas une vie facile. Non seulement il doit toujours faire attention à ne pas manquer d'eau, mais en plus, les hommes l'empoisonnent ou le ramassent pour le manger. Même s'il grignote quelques salades, on peut arriver à l'éloigner gentiment…

On élève dans des tentes en tulle des escargots destinés à être mangés.

Laissons-les tranquilles

Il y a des gens qui ramassent des escargots pour les manger. Mais à force de les détruire, il n'en restera bientôt plus dans la nature. Et en même temps, on verra disparaître les hérissons, les grives, les vers luisants… qui s'en nourrissent. C'est pourquoi, si on veut vraiment manger des escargots, il faut les acheter dans des élevages.

Trop de poisons !

Les agriculteurs utilisent de plus en plus de produits chimiques, pour faire pousser plus vite les plantes qu'ils cultivent et pour les protéger des insectes.
Mais ces insecticides passent par la peau fine des escargots et les tuent.

Lorsqu'on traite une culture avec des produits chimiques, on empoisonne les escargots.

Les escargots font parfois des dégâts dans les jardins potagers.

Pour les éloigner

Il est vrai que les escargots font des dégâts dans le potager. Pour protéger les salades, le plus simple est de ramasser les escargots et de les déposer plus loin. On peut aussi faire une barrière tout autour du jardin, avec de la sciure. Ils n'arriveront pas à la traverser. Ou bien, si l'on veut employer les grands moyens, on peut installer une miniclôture électrique qui les empêchera de passer.

Famille nombreuse

L'escargot est un mollusque. Ce sont les animaux les plus nombreux après les insectes. Comme lui, tous les mollusques ont un corps mou et une coquille. Certains lui ressemblent, et d'autres sont très différents, comme les moules ou les pieuvres.

La limnée

La limnée est un escargot d'eau. Elle vit dans les étangs et les rivières où elle broute les algues. Dans un aquarium, elle mange celles qui se déposent sur les parois. Plus besoin de nettoyer !

L'achatine

Les achatines vivent en Afrique. Elles sont énormes, grosses comme 10 de nos escargots. C'est ce qui a donné malheureusement l'idée aux habitants de les mettre en conserve !

La limace

Les limaces ressemblent à des escargots sans coquille. En réalité, comme tous les mollusques, elles en ont une, cachée dans le corps. On trouve des limaces de différentes couleurs, des grosses, des petites, des végétariennes, des carnivores…

Le bigorneau

Le bigorneau est un escargot qui vit dans la mer. Certains en ramassent sur les rochers pour les faire cuire et les manger. Attention ! Ils peuvent être pollués.

Quelques questions sur la vie de l'escargot, dont tu trouveras les réponses dans ton livre.

Crédit photographique :
Toutes les photos sont de Paul STAROSTA, sauf :
P. DUPRÉ/COLIBRI : p. 26, 27 (h et b).

300, rue Léon-Joulin, 31101 Toulouse Cedex 9, France.

Loi 49.956 du 16.07.1949
Dépôt légal : 1er trimestre 2007
ISBN : 978.2.7459.2612.8
Imprimé en Espagne